La chasse au trésor

Maria S. Barbo

Illustrations de Duendes del Sur

Texte français de Marie-Carole Daigle

Je peux lire! – Niveau 1

ISBN 0-439-97565-4
Titre original : Scooby-Doo! Treasure Hunt

Conception graphique de Maria Stasavage

Édition publiée par Les éditions Scholastic, 175 Hillmount Road, Markham (Ontario) L6C 1Z7

5 4 3 2 1 Imprimé au Canada 03 04 05 06

Les éditions Scholastic

 et ses amis font un pique-nique

dans le parc.

 lit un  : « *Mmmm!* »

 et  jouent au . *Swish!*

Une bourdonne. *Bzzz!*

Des  pépient. *Cui-cui!*

 et  mangent du 

et des 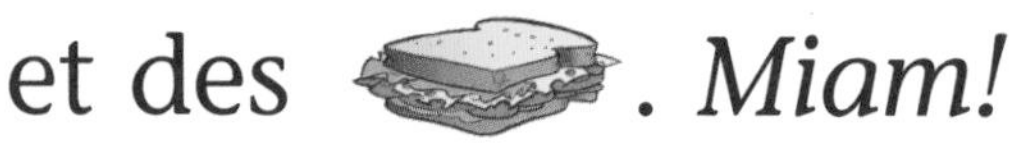. *Miam!*

— Mon  raconte qu'il y a un

 dans le parc, dit .

Il paraît que le  d'un 

veille sur ce  .

— Un  ? s'écrie  .

— Un  ? aboie  .

— Un  ? s'exclament 

et  .

— *Bzzz, bzzz!* font les  dans

les   .

 et  ne veulent pas

entendre parler de  ni de .

, allongé par terre, s'amuse

à trouver des formes dans les .

— Hé, je vois une 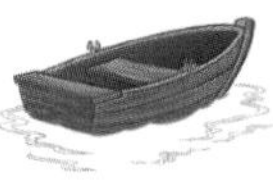 et une  !

dit-il. Je me demande s'il y a du

miel dans cette .

— Miam! dit . a faim.

Bzzz, bzzz! font les  dans

les .

— Hé, les amis! Il y a une 

dans le , dit . Partons à la

chasse au  !

— Il nous faut  et son flair pour

trouver le , dit .

— , où es-tu? demande .

— Nous avons besoin de toi, dit .

— Peut-être que le  du

a attrapé , dit .

— Il faut sauver , dit .

Bzzz, bzzz!

Les font fuir  vers les .

 grimpe dans un .

Il trouve des bébés  dans

un .

Puis, les trouvent .

 ne peut pas échapper

aux .

— , où es-tu? crie .

 et  cherchent 

près des .

Ils voient une substance gluante

sur les .

Ils voient aussi des .

Les  ont peur.

— Le  du  est passé par ici!

dit .

Bzzz, bzzz!

Les pourchassent  vers

des enfants qui font voler des 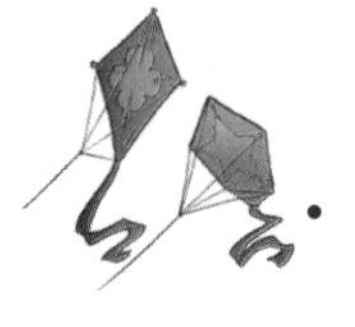.

Cui-cui! Les  sont en colère.

Les donnent des coups

de bec à .

 s'emmêle dans les .

Les  et les  restent

à ses trousses.

— , où es-tu? crie .

 et  cherchent 

près des enfants aux .

— J'ai des 

pour toi, crie .

— Regarde, dit . Il y a une

substance gluante sur les .

— Le  du  est passé par ici,

dit .

— Le  a attrapé  ! dit .

SNAX

Bzzz, bzzz!

Les font fuir  vers une 

sur le lac. 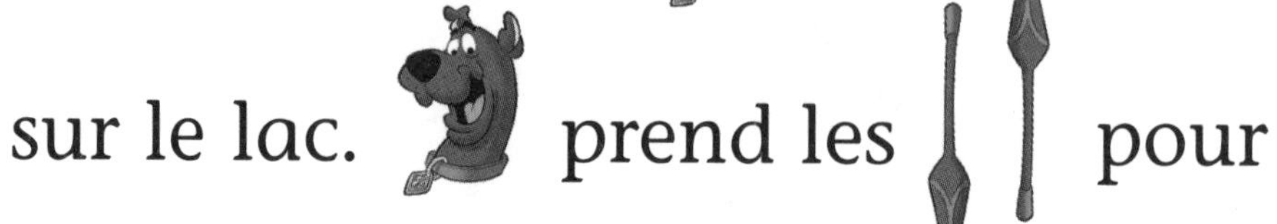 prend les  pour

faire avancer la  très vite.

Les bourdonnent toujours

à ses oreilles.

Les  lui cachent la vue.

Les  lui donnent des coups

de bec sur la .

 fonce dans les  avec

la .

—  , où es-tu? crie  .

 voit une substance gluante dans la 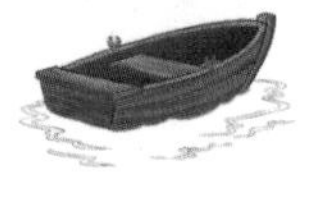 .

 voit aussi une  qui bourdonne.

 regarde la  dans son  .

— Je crois que le  se trouve près d'ici, dit  .

— Aïe! dit  . Le  aussi?

Le trésor
du pirate

— Regardez, les amis,  a trouvé le  ! dit . Et il n'y a pas de  !

Les  bourdonnent. *Bzzz, bzzz!*

Les  pépient. *Cui-cui!*

 et  mangent des 

avec du miel.

— Scooby-Dooby-Doo!

Le trésor
du pirate
Scooby
Snax

As-tu bien regardé toutes les images du rébus de cette énigme de Scooby-Doo?

Chaque image figure sur une carte-éclair. Demande à un plus grand de découper les cartes-éclair pour toi. Essaie ensuite de lire les mots inscrits au verso des cartes. Les images te serviront d'indices.

Avec Scooby-Doo, la lecture, c'est amusant!

SCOOBY
SNAX

Scooby-Doo	Fred
Véra	Daphné
Sammy	Scooby Snax

abeille

trésor

pirate

oiseaux

arbres

fantôme

Le trésor
du pirate

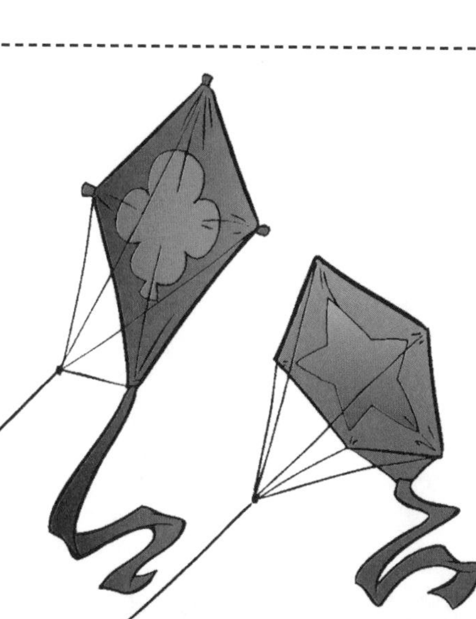

nuages	maïs
sandwich	carte
livre	cerfs-volants

chaloupe

ruche

queue

frisbee

rames

nid